MREPE

S0-BEB-275

Al sur...

A mis padres.

A los hermanos de Argentina y Chile.

A Alex y su puente de palabras.

FLP

Al sur...
Felipe López de la Peña

Dirección general: Mauricio Volpi
Dirección editorial: Andrea Fuentes Silva • Editora
Diseño gráfico: Sandra Ferrer Alarcón

Primera edición: Nostra Ediciones, 2009

D.R. © Nostra Ediciones, S. A. de C. V., 2009
   Alberto Zamora 64, Col. Villa Coyoacán,
   04000, México, D. F.

Textos e ilustraciones © Felipe Pablo López de la Peña, 2009

ISBN: 978-607-7603-35-1 Nostra Ediciones

Impreso en China

Prohibida su reproducción por cualquier medio mecánico
o electrónico sin la autorización escrita del editor o titular
de los derechos.

Al sur...

Felipe López de la Peña

NOS TRA EDICIONES

México | España

"...más allá de la Patagonia
se encuentra la tierra
del fin del mundo".

Después de leer estas palabras,
cerró el libro.

No sabía
cuánto tardaría en llegar ahí,
pero decidió emprender el viaje.

Tras algunas horas de camino
se enfrentó al paisaje;
la ciudad había quedado atrás.

Contrario a lo que había escuchado,
que "al sur no había nada",
él encontró bastante:

más espacio, más
camino, más viento;
incluso el tiempo
se alargaba.

Aceptó la lluvia como un bautizo
que le dio su nombre de viajero.

Durmió a la orilla del camino,
bajo la cruz del sur,
guía de viajeros.

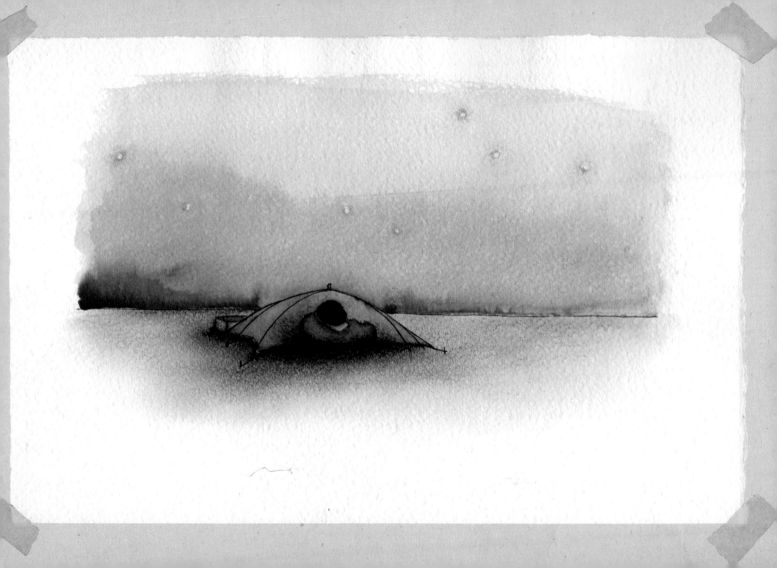

Entre caminar y escuchar
el incesante viento,
transcurrieron los días...

...al igual que
los hallazgos:
un enorme glaciar,
multitud de nubes
atrapadas
sin llegar a ser lluvia.

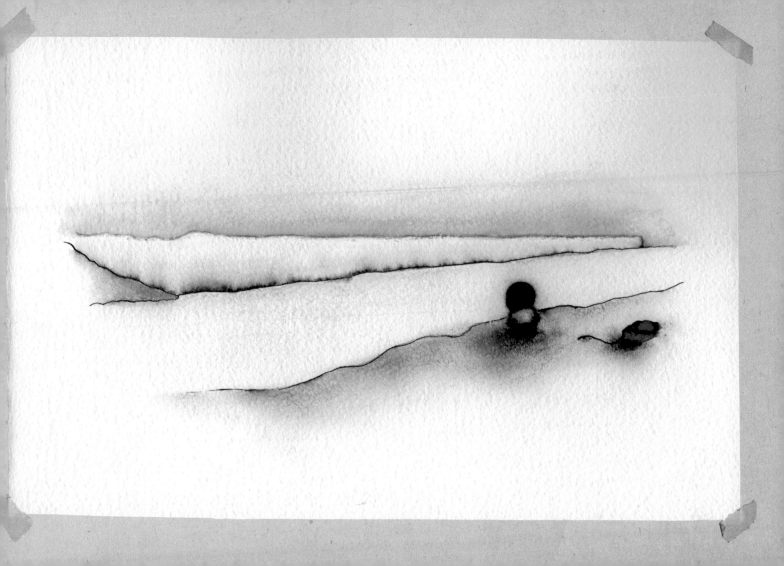

O aquella naranja
en medio de la inmensidad
como un planeta
que hubiera naufragado.

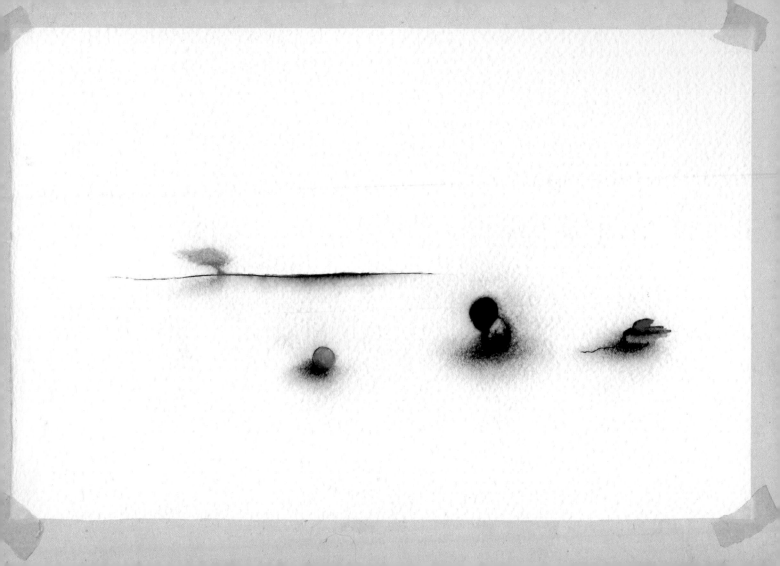

Al inicio de un nuevo mes encontró el mar.

De la otra orilla venía el viento, y cruzó.

En aquella tierra se respiraba
una inmensa soledad,
que le hizo mirar
a su interior.

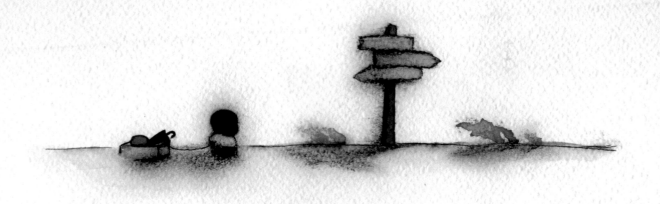

Algo le decía que el fin de la travesía se acercaba.

Un par de días después,
ahí estaba:
el faro del fin del mundo.

Y más allá, algo enorme
y de una gran luz.

Se las arregló con lo que tenía
para seguir;
la luz de aquel sitio
lo guiaría.

Llegó a una tierra
de frío y silencio,
de hielo y extraña belleza.

Y en aquel lejano lugar... encontró vida.

Era el final
de un largo camino.
	Pero el horizonte seguía ahí,
			esperándolo;

	aún faltaba el regreso a casa.

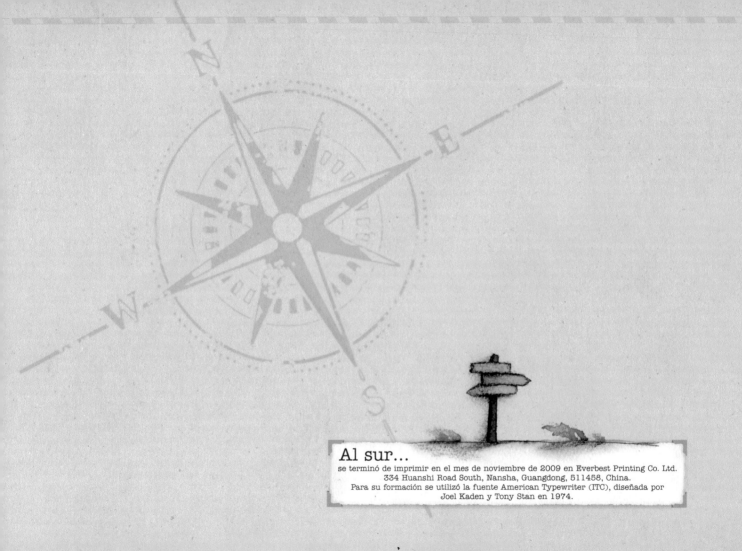

Al sur...

se terminó de imprimir en el mes de noviembre de 2009 en Everbest Printing Co. Ltd.
334 Huanshi Road South, Nansha, Guangdong, 511458, China.
Para su formación se utilizó la fuente American Typewriter (ITC), diseñada por
Joel Kaden y Tony Stan en 1974.